CWPAN Y BYD 2022

DYLAN EBENEZER

Argraffiad cyntaf: 2022

Dylunio: Dylunio GraffEG
Lluniau: Cymdeithas Bêl-droed Cymru; PA Images

Rhif Llyfr Rhyngwladol: 978 1 80099 294 8

Dymuna'r cyhoeddwyr gydnabod cymorth ariannol Cyngor Llyfrau Cymru

Cyhoeddwyd ac argraffwyd yng Nghymru ar bapur o goedwigoedd cynaladwy gan
Y Lolfa Cyf.,
Talybont,
Ceredigion
SY24 5HE

e-bost ylolfa@ylolfa.com
gwefan www.ylolfa.com
ffôn 01970 832 304
ffacs 01970 832 782

CYFLWYNIAD

Pwy fyddwch chi'n ei gefnogi yng Nghwpan y Byd? Dyna'r cwestiwn fel arfer cyn i'r gystadleuaeth ddechrau? Ond does dim angen holi'r cwestiwn eleni.

Does dim angen dewis ail dîm ar sail eich hoff chwaraewr, neu ddewis y wlad sydd gyda'r cit mwyaf cwl. Mae'r dewis yn syml.

Pwy fyddwch chi yn ei gefnogi? Cymru, wrth gwrs!

Am y tro cyntaf ers 1958 mae Cymru wedi cyrraedd y gystadleuaeth fwyaf ohonynt i gyd. Mae'r blynyddoedd diwethaf wedi bod yn rhai rhyfeddol i'r tîm cenedlaethol. Ar ôl blynyddoedd o siom mae Bale a'r bois wedi rhoi atgofion oes i ni i gyd.

Ond, mae Cwpan y Byd yn teimlo'n wahanol.

Mae'r ffaith fod rhaid aros 4 blynedd rhwng pob cystadleuaeth yn cynyddu'r cyffro, ac mae'r ffaith bod Cymru wedi aros 64 o flynyddoedd yn bendant wedi ychwanegu at hynny.

Mae'r llyfr yma'n cynnwys yr holl ffeithiau am y parti pêl-droed cyffrous sydd ar fin dechrau yn Qatar – y gwledydd a'r gemau, y chwaraewyr a'r rheolwyr, y meysydd a'r ffeithiau gwych o gwmpas y gystadleuaeth arbennig hon.

Dechreuodd y gystadleuaeth bron ganrif yn ôl. A'r newyddion mawr yw bod Cymru yn ôl.

C'mon Cymru!
Dylan Ebenezer

RHAGAIR

Dwi wedi cael gymaint o uchafbwyntiau tra'n chwarae pêl-droed.

Roedd hi'n freuddwyd cael chwarae i Abertawe a mynd yr holl ffordd i Uwchgynghrair Lloegr. I Anfield wedyn ac un o glybiau mwyaf enwog y byd – Lerpwl. Ac ar ôl blynyddoedd hapus yn Stoke daeth y cyfle i ddychwelyd i Abertawe – ac ma hi'n braf bod adre.

Ond y freuddwyd fawr oedd chwarae i Gymru.

Mae hi'n anhygoel meddwl bod 13 o flynyddoedd wedi mynd ers i fi ennill fy nghap cyntaf yn erbyn Estonia yn 2009. Daeth criw o chwaraewyr drwyddo yn y cyfnod yna ac mae llawer yn dal i fod yma – Yma o Hyd! Rydyn ni wedi tyfu lan gyda'n gilydd ac wedi bod yn ddigon lwcus i chwarae mewn dwy gystadleuaeth fawr – Ewro 2016 ac Ewro 2020.

A nawr, mynd i'r gystadleuaeth fwyaf – Cwpan y Byd!

Roedd yr awyrgylch yn y gemau ail gyfle yn erbyn Awstria a Wcráin ar lefel arall, ac mae'r 'Wal Goch' wedi bod mor bwysig i ni ar hyd y daith. Mae'r berthynas rhwng y chwaraewyr a'r cefnogwyr yn arbennig.

Ble bynnag fyddwch chi yn gwylio y gaeaf yma – yn Qatar neu yng Nghymru – gobeithio byddwn ni'n gallu rhoi rheswm da i chi ddathlu.

Diolch am gefnogi!

Joe Allen

Y FFEITHIAU

PRYD? 21 Tachwedd – 18 Rhagfyr 2022

BLE? Qatar

FFEITHIAU SYML

- Cwpan y Byd 2022 – Cwpan y Byd rhif 22!
- Y cyntaf – Wrwgwái 1930
- Y diwethaf – Rwsia 2018
- Y tro cyntaf i'r gystadleuaeth gael ei chynnal mewn gwlad Arabaidd.
- Yr ail dro i'r gystadleuaeth fod yn Asia – 2002 Japan a De Corea oedd y tro cyntaf.
- Y tro cyntaf i'r gystadleuaeth ddigwydd ar ddiwedd y flwyddyn.
- Pam? Byddai'n rhy boeth yn Qatar yn yr haf.
- Mae'r tymheredd ar gyfartaledd yn yr haf rhwng 35°C a 45°C, ond mae'n gallu cyrraedd 50°C ar adegau – sef 122°F!
- Bydd hi'n boeth yno yn y gaeaf hefyd – rhwng 25°C (77°F) a 35°C (95°F). Y gobaith yw y bydd hi'n haws dygymod â'r gwres hwnnw.
- **32 o wledydd – GAN GYNNWYS CYMRU!**
- 8 grŵp o 4 – pawb yn chwarae 3 gêm.
- Ar ddiwedd y grŵp bydd y ddwy wlad uchaf yn mynd drwodd i rownd yr 16 olaf.
- Bydd y gystadleuaeth yn tyfu i 48 o wledydd yn 2026 – America, Canada a Mecsico fydd yn croesawu pawb yr adeg hynny.

Y MASCOT

Dyma La'eeb – gair Arabaidd sy'n golygu 'chwaraewr llawn sgiliau'. Neges La'eeb yw bod angen i bawb gredu yn eu gallu eu hunain. Bydd yn sicrhau bod pawb yn profi'r llawenydd sy'n gysylltiedig â phêl-droed.

Daw La'eeb o fydysawd gwahanol lle mae holl fascots y gorffennol yn byw.

QATAR

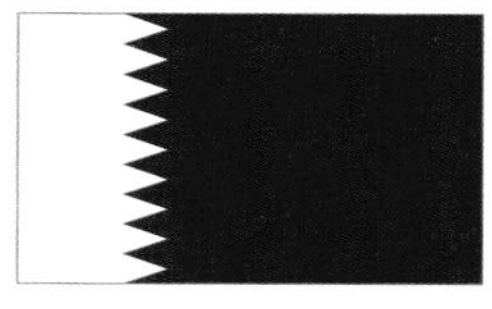

Talaith Qatar yw'r enw swyddogol ar yr ardal sydd wedi ei lleoli ar benrhyn yng ngogledd-ddwyrain Sawdi Arabia.

Mae tua 3 miliwn o bobl yn byw yno, sy'n llai na Chymru!

Doha yw'r brifddinas – mae 99% o'r boblogaeth yn byw yn yr ardal yma. Dyw hynny ddim yn sioc gan mai anialwch yw'r rhan fwyaf o'r wlad.

Bugeiliaid a physgotwyr oedd yn byw yn Qatar am ganrifoedd. Roedd y bugeiliaid yn crwydro gyda'u hanifeiliaid yn yr anialwch, tra bod y pysgotwyr yn byw mewn pentrefi ar yr arfordir.

Ond fel sydd wedi digwydd mewn ardaloedd eraill yn y Dwyrain Canol mae olew a nwy naturiol wedi trawsnewid y cyfan. Gwlad fach, ond gwlad gyfoethog iawn.

Mae'r faner wedi newid dros y blynyddoedd. Baner goch yn unig oedd yr un wreiddiol, yn unol â baneri'r arweinwyr Arabaidd lleol. Mae rhai'n credu bod baneri coch wedi troi'n borffor dros amser oherwydd effaith yr haul cryf, a bod y penderfyniad wedi ei wneud i newid lliw y faner yn swyddogol!

Nid pawb sy'n hapus bod y gystadleuaeth yn Qatar, ac mae sawl rheswm am hynny. Mae diffyg hawliau i fenywod a'r gymuned hoyw yn poeni nifer o bobl. Mae bod yn hoyw yn anghyfreithlon yn Qatar ac mae nifer o'r timau yn bwriadu tynnu sylw at hyn.

Mae symud y cyfan i ddiwedd y flwyddyn yn newid mawr. Ac roedd llawer yn dweud bod y wlad wedi twyllo yn y broses o ddenu Cwpan y Byd yn y lle cyntaf. Ond mae ymchwiliad mewnol gan FIFA wedi dod i'r casgliad bod hynny ddim yn wir.

Dyw pobl chwaith ddim yn hapus gyda'r modd mae gweithwyr tramor yn cael eu trin. Mae miloedd wedi heidio i'r wlad er mwyn helpu i adeiladu'r stadiymau, ac mae llawer wedi marw yn y blynyddoedd diwethaf. Mae'r rhan fwyaf o'r gweithwyr o India, Nepal, Bangladesh, Pacistan a Sri Lanka.

Y MEYSYDD

Mae 8 stadiwm yn cynnal 64 gêm. Ond beth fydd yn digwydd i'r rhain ar ôl Cwpan y Byd? Mae cystadlaethau diweddar wedi dangos bod adeiladu meysydd mawr newydd sbon yn gallu bod yn broblem. Ateb Qatar yw adeiladu meysydd fydd yn cael eu haddasu ar ddiwedd y gystadleuaeth. Mae llawer yn cynnwys haenau gwahanol a'r bwriad yw cael gwared o'r haen uchaf gan adael stadiwm llai o faint. Bydd yr haenau a'r seddi yn cael eu rhoi i wledydd eraill sy'n ceisio datblygu isadeiledd chwaraeon.

Bydd safleoedd y meysydd hefyd yn cael eu datblygu ar gyfer gwestai, siopau a chanolfannau cymunedol.

STADIWM AL BAYT

(60,000, AL KHOR)

Daw'r enw o'r pebyll traddodiadol mae'r nomadiaid lleol yn eu defnyddio ac mae rhan ucha'r stadiwm yn edrych fel pabell enfawr. Bydd cefnogwyr sy'n cyrraedd y stadiwm yn sylwi ar y streipiau du y tu allan a'r patrymau prydferth tu fewn.

STADIWM AL THUMAMA

(40,000, DOHA)

Adeilad trawiadol arall sy'n edrych yn debyg i'r *gahfiya* – y benwisg gron Arabaidd draddodiadol mae dynion a bechgyn yn ei gwisgo ar draws y Dwyrain Canol. Mae wedi ei henwi ar ôl coeden gynhenid sy'n tyfu yn lleol.

STADIWM RYNGWLADOL KHALIFA

(40,000, DOHA)

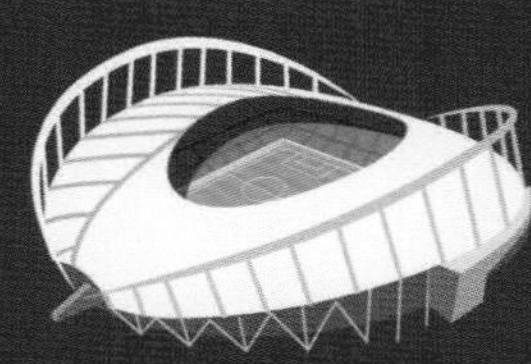

Stadiwm hynaf Qatar. Agorwyd yn wreiddiol yn 1976 ond cafodd ei thrawsnewid yn 2017. Mae un bwa enfawr dros Wembley, ond mae dau fwa fan hyn. Mae yna ganopi hefyd sy'n sicrhau bod y cefnogwyr yn y cysgod wrth wylio'r gemau.

STADIWM AHMAD BIN ALI

(40,000, AL RAYYAN)

Bydd Cymru yn chwarae eu gemau grŵp i gyd yn y stadiwm yma. Wedi ei lleoli ar gyrion yr anialwch dyma stadiwm sy'n ymfalchïo yn ei rhinweddau amgylcheddol. Mae modd goleuo a newid y delweddau ar y muriau allanol. Siâp tarian sydd wedi ysbrydoli'r cynllun.

STADIWM LUSAIL

(80,000, LUSAIL)

Dyma fydd lleoliad y rownd derfynol. Mae'r cynllun yn seiliedig ar y bowlenni sydd wedi cael eu defnyddio yn y Dwyrain Canol ers canrifoedd. Bydd y lliw euraidd yn siŵr o ddal sylw hefyd.

STADIWM EDUCATION CITY

(40,000, DOHA)

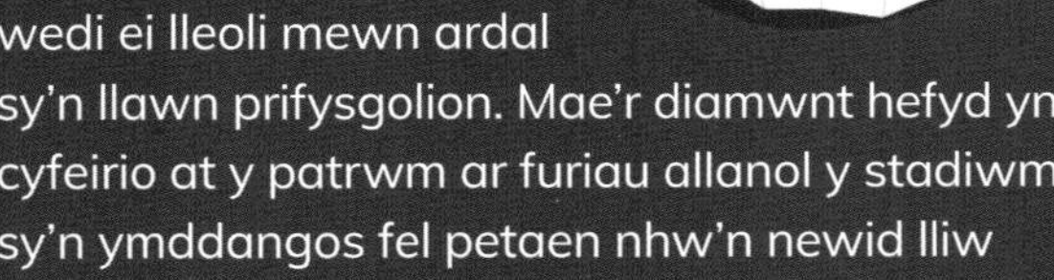

'Y Diemwnt yn yr Anialwch' yw'r enw lleol ar y stadiwm yma, sydd wedi ei lleoli mewn ardal sy'n llawn prifysgolion. Mae'r diamwnt hefyd yn cyfeirio at y patrwm ar furiau allanol y stadiwm sy'n ymddangos fel petaen nhw'n newid lliw wrth i'r haul symud yn ystod y dydd.

Mae'r stadiwm hefyd yn cael ei hystyried fel campwaith amgycheddol gan ei bod yn defnyddio'r dulliau cynaliadwy gorau.

STADIWM 974

(40,000, DOHA)

Ar lan y môr mae'r stadiwm hon, sydd wedi ei chreu drwy ddefnyddio 974 o focsys cludo nwyddau sydd ar longau cargo. 974 yw'r cod ffôn rhyngwladol ar gyfer Qatar hefyd. Stadiwm dros dro yn unig yw hon. Bydd y cyfan yn diflannu ar ddiwedd y gystadleuaeth wrth i'r ardal gael ei datblygu.

STADIWM AL JANOUB

(40,000, AL WAKRAH)

Wedi ei lleoli mewn ardal hyfryd sydd wedi denu pysgotwyr dros y blynyddoedd, yn ogystal â deifwyr perlau. Cychod traddodiadol lleol sydd wedi ysbrydoli'r cynllun trawiadol.

FFRAINC 2018

YR HANES

Ffrainc yw'r deiliaid – enillon nhw'r rownd derfynol yn Rwsia yn 2018 yn erbyn Croatia o 4 gôl i 2. Dyna'r ail dro i Les Blues godi'r cwpan.

BLWYDDYN	LLEOLIAD	ENILLWYR
2018	Rwsia	**Ffrainc** (4–2 Croatia)
2014	Brasil	**Yr Almaen** (1–0 Ariannin)
2010	De Affrica	**Sbaen** (1–0 Yr Iseldiroedd)
2006	Yr Almaen	**Yr Eidal** (1–1 Ffrainc: 5–3 ar ôl ciciau o'r smotyn)
2002	Japan a De Corea	**Brasil** (2–0 Yr Almaen)
1998	Ffrainc	**Ffrainc** (3–0 Brasil)
1994	America	**Brasil** (0–0 Yr Eidal: 3–2 ar ôl ciciau o'r smotyn)
1990	Yr Eidal	**Yr Almaen** (1–0 Ariannin)
1986	Mecsico	**Ariannin** (3–2 Yr Almaen)
1982	Sbaen	**Yr Eidal** (3–1 Yr Almaen)
1978	Ariannin	**Ariannin** (3–1 Yr Iseldiroedd)
1974	Yr Almaen	**Yr Almaen** (2–1 Yr Iseldiroedd)
1970	Mecsico	**Brasil** (4–1 Yr Eidal)
1966	Lloegr	**Lloegr** (4–2 Yr Almaen)
1962	Chile	**Brasil** (3–1 Tsiecoslofacia)
1958	Sweden	**Brasil** (5–2 Sweden)
1954	Y Swistir	**Yr Almaen** (3–2 Hwngari)
1950	Brasil	**Wrwgwái** (2–1 Brasil)
1946	Dim cystadleuaeth	
1942	Dim cystadleuaeth	
1938	Ffrainc	**Yr Eidal** (4–2 Hwngari)
1934	Yr Eidal	**Yr Eidal** (2–1 Tsiecoslofacia)
1930	Wrwgwái	**Wrwgwái** (4–2 Ariannin)

CYN-ENILLWYR

Brasil yw'r wlad fwyaf llwyddiannus ond Ewrop yw'r cyfandir cryfaf. Mae **5** gwlad o Ewrop wedi codi'r cwpan – **12** buddugoliaeth – a **3** gwlad o Dde America – 9 buddugoliaeth.

Er taw Brasil sydd fwyaf llwyddiannus mae **20** mlynedd ers eu buddugoliaeth ddiwethaf.

Gwledydd Ewrop sydd wedi ennill y **4** gystadleuaeth ddiwethaf.

Yr Almaen sydd wedi ymddangos yn y nifer fwyaf o rowndiau terfynol – **8** gwaith.

Mae **6** gwlad wedi codi'r cwpan ar eu tomen eu hunain – Wrwgwái, Yr Eidal, Lloegr, Yr Almaen, Ariannin a Ffrainc. Digwyddodd hyn **5** gwaith rhwng 1930 a 1978, ond heb ddigwydd ers Ffrainc yn 1998.

BRASIL = 5
YR ALMAEN, YR EIDAL = 4
WRWGWÁI, ARIANNIN, FFRAINC = 2
LLOEGR, SBAEN = 1

ARIANNIN 1986

TAITH CYMRU

Hir yw pob ymaros. Ar ôl 64 o flynyddoedd mae Cymru yn ôl yng Nghwpan y Byd. Ac hyd yn oed wedyn roedd hi'n bell o fod yn syml.

Gorffennodd Cymru yn yn ail yn y grŵp rhagbrofol tu ôl i Wlad Belg ac roedd hynny yn ddigon i sicrhau gêm ail gyfle.

Roedd y drefn wedi newid ar gyfer Qatar 2022. Yn hytrach na chwarae dwy gêm (gartef ac oddi cartref) yn erbyn un wlad – roedd angen chwarae dwy rownd o gemau.

Awstria oedd y gwrthwynebwyr cyntaf i Gymru – a tasen nhw'n ennill honna roedd Yr Alban neu Wcráin yn disgwyl amdanynt. Y newyddion da i'r Dreigiau oedd bod y ddwy gêm yn mynd i fod yng Nghaerdydd.

Roedd y gemau i fod i gael eu chwarae ym mis Mawrth 2022, ond doedd hynny ddim yn bosib yn sgil y rhyfel yn Wcráin.

Penderfynwyd bod Cymru yn mynd i chwarae Awstria ar y dyddiad gwreiddiol ond roedd angen gohirio'r gêm rhwng Yr Alban ac Wcráin.

Diolch i gampau Gareth Bale enillodd Cymru yn erbyn Awstria o 2 gôl i 1. Ond roedd rhaid aros wedyn er mwyn darganfod pwy fyddai'r gwrthwynebwyr yn y rownd derfynol.

Cafodd y gemau eu trefnu ym Mehefin. Enillodd Wcráin 3–1 yn Glasgow cyn teithio i Gaerdydd ar gyfer y gêm fawr.

Roedd hi'n noson emosiynol a'r awyrgylch yn drydanol. Sgoriodd Gareth Bale ddeg munud cyn diwedd yr hanner cyntaf ac er bod Wcráin wedi chwarae'n wych roedd Cymru yn benderfynol. Pan atseiniodd y chwiban olaf o gwmpas y stadiwm ar ddiwedd y gêm roedd y dathliadau yn gallu dechrau go iawn. Gorfoledd i Gymru. Roedd yr oedi ar ben a Chymru wedi cyrraedd Cwpan y Byd.

BALE

RHEOLWYR Y RHONDDA

ROBERT PAGE A JIMMY MURPHY

Mae llawer wedi newid ers i Gymru chwarae yng Nghwpan y Byd 1958 – ond un peth fydd yn debyg yn 2022 yw man geni'r ddau reolwr, sef Y Rhondda.

Er bod 64 o flynyddoedd yn gwahanu'r ddwy enedigaeth, dim ond ychydig filltiroedd oedd yn gwahanu eu cartrefi yng nghanol y cwm. Cafodd Jimmy Murphy ei eni yn 1910 a Page yn 1974.

Mae 64 o flynyddoedd rhwng yr ymddangosiadau yng Nghwpan y Byd hefyd – cyd-ddigwyddiad arall sy'n cysylltu'r ddau.

STORI JIMMY MURPHY

Cafodd Murphy ei benodi yn rheolwr Cymru yn 1956, a gellir dadlau bod cyrraedd Cwpan y Byd 1958 wedi achub ei fywyd.

Roedd yn gweithio fel is-reolwr i Manchester Utd yng nghyfnod un o'u rheolwyr enwocaf, Syr Matt Busby. Dyma gyfnod y 'Busby Babes' – cenhedlaeth o chwaraewyr ifanc talentog. Bu farw 8 o'r garfan yma mewn damwain awyren ar y ffordd yn ôl o gêm Ewropeaidd yn 1958 ac roedd bywyd y rheolwr, Busby, yn y fantol am fisoedd.

Wrth i Busby frwydro am ei fywyd camodd Murphy i swydd y rheolwr gan arwain y clwb yn ystod un o'r cyfnodau mwyaf anodd yn ei hanes.

Fel arfer byddai Murphy gyda'r tîm ac ar yr awyren hefyd. Ond tra bod Manchester Utd yn chwarae yn Ewrop roedd Cymru yn chwarae gêm ail gyfle yn erbyn Israel i gyrraedd Cwpan y Byd.

Felly, yn hytrach na hedfan gyda Manchester Utd roedd y gŵr o'r Rhondda yng Nghaerdydd yn dathlu'r ffaith fod Cymru wedi cyrraedd y gystadleuaeth fawr am y tro cyntaf. Dim ond ar ôl cyrraedd Manceinion y diwrnod canlynol y clywodd am y drychineb.

Aeth Murphy ymlaen i arwain y clwb trwy'r cyfnod heriol, gan hefyd arwain Cymru i'r 8 olaf yng Nghwpan y Byd yn haf 1958.

Daeth ei gyfnod gyda Chymru i ben yn 1964, a bu farw yn 1989 – yn arwr i'w wlad a'i glwb.

Yn haf 2022 cyhoeddodd Manchester Utd fod y clwb yn mynd i osod cerflun ohono y tu allan i'w cartref yn Old Trafford. Teyrnged gwbl haeddiannol i un o arwyr Manchester Utd a Chymru.

Y GRWPIAU

GRŴP A

-  QATAR
- ECWADOR
-  SENEGAL
- YR ISELDIROEDD

GRŴP B

-  LLOEGR
-  CYMRU
-  AMERICA
-  IRAN

GRŴP C

-  ARIANNIN
-  GWLAD PWYL
-  MECSICO
- SAWDI ARABIA

GRŴP D

- FFRAINC
- DENMARC
- TIWNISIA
- AWSTRALIA

GRŴP E

-  SBAEN
-  YR ALMAEN
- JAPAN
-  COSTA RICA

GRŴP F

- GWLAD BELG
- CROATIA
- CANADA
- MOROCO

GRŴP G

- BRASIL
- Y SWISTIR
- SERBIA
- CAMERŴN

GRŴP H

- PORTIWGAL
- WRWGWÁI
- GHANA
- DE COREA

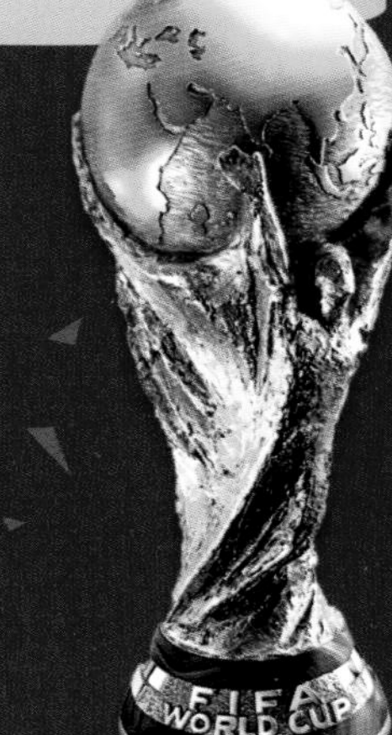

QATAR

GRŴP A

Llysenw: Y Browngoch (The Maroon)

Rheolwr: *Félix Sánchez*

Hyfforddwr o Sbaen, mae ganddo brofiad o hyfforddi timau ieuenctid Barcelona. Cafodd ei benodi yn 2017 ar gyfer gemau rhagbrofol Cwpan y Byd 2018. Er bod yr ymgyrch honno yn fethiant enillodd y wlad Gwpan Asia yn 2019 ac mae'r tîm wedi datblygu wrth gystadlu yn erbyn gwledydd mawr yn ddiweddar.

HANES

Ymddangosiad cyntaf yng Nghwpan y Byd – gan eu bod yn cynnal y gystadleuaeth.

GOBAITH

Gadael y grŵp yw'r gobaith – mwynhau'r parti yw'r realiti. Cafodd Qatar eu cynnwys yng Ngrŵp A y gemau rhagbrofol er mwyn chwarae gemau cyfeillgar yn erbyn y gwledydd eraill – Azerbaijan, Lwcsembwrg, Serbia, Portiwgal a Gweriniaeth Iwerddon.

Ennill yn erbyn Azerbaijan a Lwcsembwrg oedd yr uchafbwyntiau a gêm gyfartal yn erbyn Gweriniaeth Iwerddon – ond anodd asesu oherwydd natur y gemau.

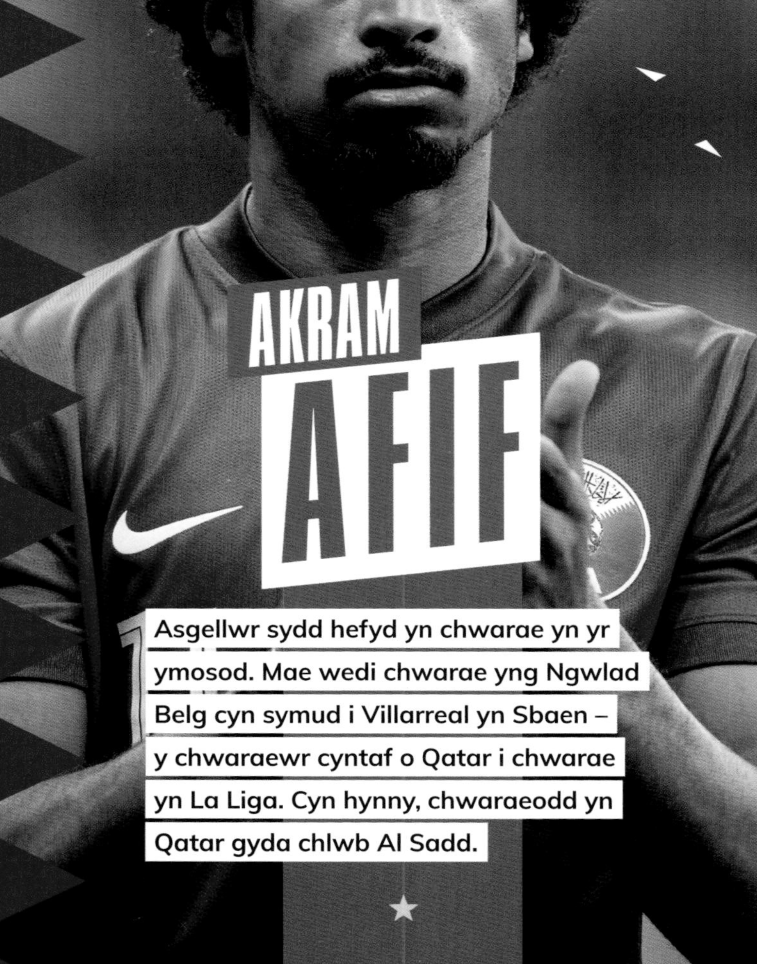

AKRAM AFIF

Asgellwr sydd hefyd yn chwarae yn yr ymosod. Mae wedi chwarae yng Ngwlad Belg cyn symud i Villarreal yn Sbaen – y chwaraewr cyntaf o Qatar i chwarae yn La Liga. Cyn hynny, chwaraeodd yn Qatar gyda chlwb Al Sadd.

GRŴP A

ECWADOR

Llysenw: Y Tri (La Tri)

Rheolwr: Gustavo Alfaro

Hyfforddwr o'r Ariannin, mae wedi treulio'r rhan fwyaf o'i yrfa gyda chlybiau'r wlad. Penodwyd yn 2020, gan arwain Ecwador i bedwerydd safle annisgwyl yng ngemau rhagbrofol De America a sicrhau lle awtomatig yng Nghwpan y Byd.

HANES

Y 4ydd tro i'r wlad ymddangos yn y rowndiau terfynol – 2002 oedd y tro cyntaf a 2014 y tro diwethaf. Cyrraedd yr 16 olaf yn 2006 oedd y perfformiad gorau.

GOBAITH

Cystadlu gyda Senegal am yr ail safle? Mae'r gêm gyntaf yn erbyn Qatar yn hollbwysig. Ar ôl cael gemau cyfartal yn erbyn Brasil ac Ariannin yn y grŵp rhagbrofol maen nhw wedi dangos potensial.

ENNER VALENCIA

Ymosodwr sydd wedi chwarae i West Ham ac Everton, mae bellach gyda Fenerbache yn Nhwrci. Mae wedi sgorio gôl bob 2 gêm dros ei wlad ers ei gap cyntaf yn 2012.

GRŴP A

SENEGAL

ISMAILA SARR

Llysenw: *Llewod Teranga*

Rheolwr: *Aliou Cissé*

Capten y wlad yng Nghwpan y Byd 2002, mae'n gyn-chwaraewr i dimau Birmingham a Portsmouth. Mae wedi bod yng ngofal y tîm ers 2015.

HANES

3ydd ymddangosiad yng Nghwpan y Byd. Cyrraedd yr 8 olaf yn eu hymddangosiad cyntaf yn 2002 yw'r uchafbwynt ar ôl ennill y gêm agoriadol yn erbyn y deiliaid, Ffrainc. Methwyd â mynd ymhellach na'r grŵp yn 2018.

GOBAITH

Cyrraedd yr 16 olaf – a wedyn pwy a ŵyr? Ar ôl methu dod allan o'r grŵp yn 2018 a cholli rownd derfynol Cwpan Affrica yn 2019 roedd yr ysbryd yn isel. Ond mae pethau wedi gwella. Ar ôl codi Cwpan Affrica o'r diwedd y llynedd mae'r wlad yn llygadu llwyddiant ar y llwyfan mawr.

SADIO MANÉ

Dyma un o'r chwaraewyr gorau erioed o gyfandir Affrica. Bu'n ddylawnadol dros ben yn Lerpwl cyn ymuno â Bayern Munich yn yr haf. Mae'n arwr i'w wlad ar ôl sgorio ciciau o'r smotyn hollbwysig – y ddwy yn erbyn Yr Aifft – y gyntaf i ennill Cwpan Cenhedloedd Affrica yn 2021 a'r llall i sicrhau eu lle yng Nghwpan y Byd.

GRŴP A

YR ISELDIROEDD

Llysenw: *Oranje (Yr Oren)*

Rheolwr: *Louis van Gaal*

Hyfforddwr profiadol dros ben sy'n arwain ei wlad am y trydydd tro – a'r ail dro iddo reoli yng Nghwpan y Byd. Aeth y tîm i'r 4 olaf yn 2014. Mae wedi rheoli clybiau mwya'r byd – Ajax, Barcelona, Bayern Munich a Manchester Utd.

HANES

Yr 11eg ymddangosiad yng Nghwpan y Byd – a'r tro cyntaf ers 2014. Dyma un o'r gwledydd gorau i beidio â chodi'r cwpan, ar ôl colli mewn 3 rownd derfynol.

Roedd Yr Iseldiroedd yn gyfrifol am chwyldro yn y gêm yn y 1970au wrth iddyn nhw ddatblygu steil cyflawn o chwarae – Totaalvoetbal. Y syniad oedd bod pob chwaraewr yn gyfforddus mewn meddiant a hefyd yn gallu chwarae mewn unrhyw safle ar y cae. Roedd tîm Ajax o Amsterdam yn rheoli pêl-droed Ewrop – Johan Cruyff gyda'r chwaraewyr gorau yn y byd a'r hyfforddwr Rinus Michels yng ngofal y cyfan. Ond, rhywsut, methodd y tîm rhynglwadol goroni'r cyfan wrth iddyn nhw golli mewn dwy rownd derfynol yn olynol – 1974 ac 1978.

GOBAITH

Ennill y grŵp yn bendant, ac efallai hyd yn oed ennill y gystadleuaeth. Gyda van Dijk yn ôl a chwaraewyr fel Frenkie de Jong, Matthijs de Ligt a Memphis Depay yn disgleirio, gall y tîm yma fynd yn bell. Efallai mai pwysau'r gorffennol yw eu gelyn mwyaf.

VIRGIL VAN DIJK

Dyma un o'r amddiffynwyr gorau yn y byd sydd wedi profi llwyddiant aruthrol ers ymuno â Lerpwl. Er hynny dyma'r tro cyntaf iddo chwarae mewn prif gystadleuaeth ar ôl colli Ewro 2020 oherwydd anaf.

MEMPHIS DEPAY

GRŴP B

LLOEGR

Llysenw: Y Tri Llew

Rheolwr: *Gareth Southgate*

Cafodd ei benodi yn dilyn Ewro 2016 ac mae'r perfformiadau wedi bod yn gyson dros ben, yn enwedig yn y cystadlaethau mawr. Mae'n haeddu clod ar ôl cyrraedd y rownd derfynol a'r rownd gynderfynol yn y ddwy brif gystadleuaeth ddiwethaf – ond mae'r pwysau i ennill cystadleuaeth wedi cynyddu yn sgil hynny hefyd.

HANES

16eg ymddangosiad yng Nghwpan y Byd – a'r 7fed yn olynol. Codi'r cwpan yn 1966 yw'r uchafbwynt – yr unig lwyddiant mewn prif gystadleuaeth. Ond maen nhw wedi dod yn agos i newid hynny yn ddiweddar – colli yn y rownd gynderfynol yng Nghwpan y Byd 2018 a cholli ar giciau o'r smotyn yn rownd derfynol Ewro 2020.

HARRY KANE

Mae record sgorio'r ymosodwr i'w glwb a'i wlad yn rhyfeddol, a'r ffaith ei fod yn gapten i'r ddau dîm yn dweud y cyfan. Enillodd wobr yr Esgid Aur fel prif sgoriwr Cwpan y Byd 2018 ac mae wedi ennill yr Esgid Aur yn Uwch-Gynghrair Lloegr dair gwaith hefyd. Bydd ei berfformiadau – a'i goliau – yn hollbwysig i Loegr yn Qatar.

GOBAITH

Codi'r cwpan yw'r gobaith ac mae'r rhediadau yn y prif gystadlaethau diwethaf yn awgrymu bod hynny'n bosib. Ond mae'r ffaith iddyn nhw golli'r gemau mawr hefyd yn dangos pa mor anodd yw cymryd y cam nesaf.

RECORD YN ERBYN CYMRU

- Chwarae 103 o gemau – Cymru'n ennill 14: Lloegr yn ennill 68: Cyfartal 21
- Y gêm gyntaf rhwng y ddwy wlad yn 1879 – Lloegr 2–1 Cymru
- Buddugoliaeth gyntaf Cymru yn erbyn Lloegr yn 1881 – Lloegr 0–1 Cymru
- 8 o 14 buddugoliaeth Cymru yn dod rhwng 1920 a 1938
- Rhediad da arall i Gymru ar ddiwedd y 1970au a chanol yr 80au

GEMAU NODEDIG

1977 – LLOEGR 0–1 CYMRU

Y tro diwethaf i Gymru ennill yn Lloegr, gyda chic Leighton James o'r smotyn yn sicrhau buddugoliaeth enwog yn Wembley.

1981 – CYMRU 4–1 LLOEGR

Y fuddugoliaeth fwyaf erioed i Gymru yn erbyn y Saeson. Perfformiad campus ar y Cae Ras yng ngêm gyntaf Mike England wrth y llyw.

1984 – CYMRU 1–0 LLOEGR

Y tro diwethaf i Gymru ennill yn erbyn yr hen elyn, gyda Mark Hughes yn sgorio'r unig gôl – a hynny yn ei gêm gyntaf dros ei wlad.

Mae Lloegr wedi ennill 6 allan o 6 ers hynny, gan gynnwys y fuddugoliaeth o 2 gôl i 1 yn Ewro 2016. Gôl Gareth Bale yn y gêm honno yw'r unig dro i Gymru sgorio yn eu herbyn ers 1984.

GRŴP B

CYMRU

Llysenw: Y Dreigiau

Rheolwr: Robert Page

Enillodd 41 cap i Gymru a chwarae 550 o gemau clwb. Bu'n hyfforddi timau ieuenctid Cymru rhwng 2017 a 2019 ac felly wedi gweithio gyda nifer o'r chwaraewyr ifanc yn y garfan bresennol.

Cafodd ei benodi yn is-reolwr yn 2019 ac wedyn yn rheolwr dros dro yn 2020 yn dilyn ymadawiad Ryan Giggs. Mae bellach yn rheolwr llawn ar ôl arwain y tîm yn Ewro 2020 a'u paratoi ar gyfer Cwpan y Byd.

HANES

Ymddangosiad cyntaf yng Nghwpan y Byd ers 1958, pan gyrhaeddodd Cymru rownd yr 8 olaf yn Sweden – cyn colli o 1 gôl i 0 yn erbyn Brasil. 64 mlynedd – y bwlch mwyaf rhwng cystadlaethau i unrhyw wlad.

ROBERT PAGE

GARETH BALE

Pwy arall?!

Mae'n 33 oed erbyn hyn ond yn parhau i ysbrydoli. Ei goliau yn y gemau ail gyfle wnaeth sicrhau lle Cymru yng Nghwpan y Byd. Mae wedi ennill dros gant o gapiau – Bale sydd wedi sgorio'r mwyaf o goliau yn hanes Cymru. Mae wedi chwarae dros Gymru am 16 o flynyddoedd sef hanner ei fywyd!

GOBAITH

Codi'r cwpan?!!!

Y targed cyntaf fydd cyrraedd yr 16 olaf, a phwy a ŵyr ar ôl hynny?

Mae trefn y gemau grŵp yn ffafrio Cymru – y gobaith yw cipio pwyntiau yn erbyn America ac Iran cyn chwarae Lloegr yn y gêm olaf.

Bydd y 2 uchaf yng ngrŵp Cymru (B) yn mynd drwodd i chwarae yn erbyn y 2 uchaf yng Ngrŵp A – 1af yng Ngrŵp A yn erbyn yr 2il yng Ngrŵp B, a'r 1af yng Ngrŵp B yn erbyn yr 2il yng Ngrŵp A.

Mae Grŵp A yn cynnwys Yr Iseldiroedd, Senegal, Ecwador a Qatar, felly osgoi'r Iseldiroedd yw'r dewis gorau, ond bosib bydd angen ennill y grŵp i wneud hynny.

CAP CYNTAF

27/05/2006 – TRINIDAD & TOBAGO

16 oed oedd Bale – y chwaraewr ifancaf i chwarae i Gymru ar y pryd. Harry Wilson sydd â'r record honno bellach.

GÔL GYNTAF

07/10/2006 – CYMRU 1–5 SLOFACIA

Bale yw'r ifancaf erioed i sgorio dros Gymru, yn 17 oed.

CLYBIAU

Southampton, Tottenham (2007–2013), Real Madrid (2013–2022), Los Angeles FC (2022–). Yn ystod ei gyfnod yn Sbaen enillodd Bale Gynghrair y Pencampwyr 5 gwaith a chynghrair La Liga dair gwaith.

Bu'n chwarae llai yn y tymhorau diwethaf a bellach mae wedi symud i chwarae yn America.

GRŴP B

AMERICA

Llysenw: *The Stars and Stripes*

Rheolwr: Gregg Berhalter

Yn y swydd ers 2018 cafodd ei benodi yn dilyn y siom o fethu â chyrraedd Cwpan y Byd yn y flwyddyn honno. Chwaraeoedd y cyn-amddiffynnwr am 15 mlynedd yn Ewrop gan gynnwys tymor gyda Crystal Palace, ac wedi chwarae dros ei wlad yng Nghwpan y Byd 2002 a 2006.

HANES

11eg ymddangosiad yng Nghwpan y Byd, ar ôl iddyn nhw fethu cyrraedd Rwsia 2018 ond cyrraedd 7 yn olynol cyn hynny. Cyrraedd y 4 olaf yn y gystadleuaeth gyntaf erioed yn 1930 yw'r perfformiad gorau. Chwaraewyd mewn 3 o'r 4 cystadleuaeth gyntaf ond dim un ymddangosiad rhwng 1950 a 1990. Cyrraedd yr 8 olaf yn 2002 yw'r gorau yn yr oes fodern.

GOBAITH

Doedden nhw ddim ar eu gorau yn y gemau rhagbrofol ond mae yna griw ifanc ar draws Ewrop sy'n barod i danio. Efallai bod Qatar yn rhy gynnar i rai ond mae Brenden Aaronson yn Leeds a Josh Sargent yn Norwich eisoes ar dân. Ychwanegwch Gio Reyna, Ricardo Pepi a Jordan Pefok sy'n chwarae yn Yr Almaen, a Sergiño Dest yn Sbaen, ac mae'r dyfodol yn ddiddorol.

CHRISTIAN PULISIC

Asgellwr Chelsea ac un o sêr mawr pêl-droed America mae wedi cyfrannu'n gyson yn Uwch-Gynghrair Lloegr ers ymuno o Borussia Dortmund yn 2019. Er bod yna chwaraewyr ifanc cyffrous yn creu argraff erbyn hyn, Pulisic yw'r bygythiad mawr yn Qatar.

GRŴP B

IRAN

Llysenw: *Team Melli (Y Tîm Cenedlaethol)*

Rheolwr: Carlos Queiroz

Wedi ei benodi ym mis Medi yn dilyn diswyddo Dragan Skočić. Dyma ail gyfnod y gŵr o Bortiwgal wrth y llyw, ar ôl arwain y wlad rhwng 2011 a 2019. Dyma hefyd fydd y 5ed tro iddo arwain tîm yng Nghwpan y Byd, a'r trydydd tro yn olynol iddo wneud hynny gydag Iran.

HANES

6ed ymddangosiad yn y gystadleuaeth a'r 3ydd yn olynol. Dyw'r tîm erioed wedi mynd yn bellach na'r grŵp agoriadol ond yn anlwcus i beidio â gwneud hynny yn 2018 ar ôl cipio 4 pwynt yn eu 3 gêm.

GOBAITH

Cafwyd gêm gyfartal yn erbyn Portiwgal ac ennill yn erbyn Moroco yn 2018 – dyna rybudd i bawb sy'n disytyru Iran. Ar ôl dweud hynny, bydd y gwledydd eraill yn targedu tri phwynt yn eu herbyn.

Mae'r gêm yn erbyn America wedi ei disgrifio fel un o'r gemau mwyaf tanllyd yn wleidyddol yn y byd pêl-droed. Yr unig dro arall i'r ddwy wlad gwrdd mewn prif gystadleuaeth oedd yn Ffrainc 1998, pan enillodd Iran 2–1 – eu buddugoliaeth gyntaf erioed yng Nghwpan y Byd.

SARDAR AZMOUN

'Lionel Messi Iran', mae ymosodwr Bayer Leverkusen yn arwr yn ei famwlad. Disgleiriodd yn Rwsia gyda Zenit Saint Petersburg cyn symud i'r Almaen ar ddechrau 2022. Mae ganddo bron i 5 miliwn o ddilynwyr ar Instagram!

GRŴP C

ARIANNIN

Llysenw: *La Albiceleste (Y Gwyn a'r Glas Golau)*

Rheolwr: *Lionel Scaloni*

Cafodd ei benodi ar ôl Cwpan y Byd 2018. Roedd yn aelod o'r garfan yn Yr Almaen 2006, a nawr yn arwain ei wlad ar y llwyfan mwyaf. Mae'n boblogaidd iawn ar ôl i'r tîm ennill Copa America yn 2021.

HANES

Wedi cyrraedd pob Cwpan y Byd ers 1974 gan ennill y gystadleuaeth ddwywaith – yn Ariannin yn 1978 ac ym Mecsico yn 1986. Wedi colli mewn 3 rownd derfynol gan gynnwys 2014. Colli wnaethon nhw hefyd yn rownd yr 16 olaf yn 2018 – ond yn erbyn Ffrainc a aeth ymlaen i godi'r cwpan.

GOBAITH

Fel Cymru gyda Gareth Bale mae Ariannin wedi cael eu cyhuddo o fod yn 'Dîm Un Dyn' yn y gorffennol. Eto – fel Cymru – mae hynny'n bell o fod yn wir. Ond mae mwy o gryfder yn y garfan ar hyn o bryd, gyda chwaraewyr fel Cristian Romero, Rodrigo De Paul, Lautaro Martínez a Lisandro Martínez yn creu argraff.

LAUTARO MARTÍNEZ

LIONEL MESSI

Un o'r chwaraewyr gorau erioed – os nad y gorau. Roedd wedi chwarae i Barcelona trwy gydol ei yrfa cyn symud i Paris St Germain yn 2021. Mae wedi chwarae mwy o gemau a sgorio mwy o goliau nag unrhyw un dros Ariannin – ac yn parhau i ysbrydoli, er ei fod yn 35 oed. Mae wedi ennill popeth gyda'i glybiau, ond Copa America yn 2021 oedd y brif gystadleuaeth gyntaf iddo ennill gyda'i wlad. Bydd yn gwneud popeth yn ei allu i godi'r cwpan mwyaf ohonyn nhw i gyd.

GRŴP C

GWLAD PWYL

Llysenw: *Biało-czerwoni (Y Gwyn a'r Coch)*

Rheolwr: Czeslaw Michniewicz

Cyn-reolwr llwyddiannus gyda thîm dan 21 Gwlad Pwyl, mae'n olynu cyn-reolwr Abertawe, Paulo Sousa, ar ôl iddo yntau adael yn Rhagfyr 2021.

HANES

9fed ymddangosiad yn y gystadleuaeth fawr, mae'r wlad wedi cyrraedd y rownd gynderfynol ddwy waith, yn 1982 y tro diwethaf. Roedden nhw'n siomedig yn Rwsia 2018. Ar ôl colli eu dwy gêm gyntaf yn erbyn Senegal a Colombia roedd hi ar ben cyn iddyn nhw ennill y gêm olaf yn erbyn Japan.

GOBAITH

Dyw eu record yn y cystadlaethau mawr ddim yn dda yn ddiweddar. Collwyd y ddwy gêm gyntaf yng Nghwpan y Byd 2018 a methu ennill gêm yn Ewro 2020 – gan gynnwys gêm yn erbyn Sweden. Ond, enillon nhw rownd derfynol y gemau ail gyfle i gyrraedd Cwpan y Byd yn gyfforddus yn erbyn Sweden, gan ddangos eu gallu. Lewandowski – pwy arall?! – yw'r gobaith mawr.

Yn 2015 sgoriodd Lewandowski 5 gôl mewn 9 munud ar ôl dod i'r cae fel eilydd i Bayern Munich yn erbyn Wolfsburg. Cyn hynny roedd Bayern yn colli o 1 gôl i 0!

AREK MILIK

ROBERT LEWANDOWSKI

Dyma un o'r ymosodwyr mwyaf peryglus a chyson yn y byd, a does dim syndod fod Barcelona wedi gwneud popeth i'w arwyddo dros yr haf. Sgoriodd 344 gôl mewn 375 gêm yn ystod ei 8 mlynedd gyda Bayern – record ryfeddol i ymosodwr. Fel Messi i Ariannin mae Lewandowksi wedi chwarae mwy o gemau a sgorio mwy o goliau nag unrhyw un arall dros ei wlad.

GRŴP C

MECSICO

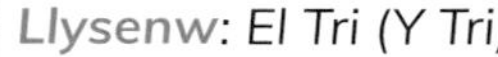

Llysenw: El Tri (Y Tri)

Rheolwr: Gerardo Martino

Cyn-hyfforddwr Ariannin a Barcelona, cafodd ei benodi yn rheolwr ei wlad yn 2019.

HANES

Gall Mecsico frolio eu bod wedi chwarae yn y gêm gyntaf erioed yng Nghwpan y Byd yn 1930 ond fyddan nhw ddim yn brolio'r sgôr ar ôl colli o 4 gôl i 1 yn erbyn Ffrainc. Maen nhw wedi cyrraedd yr 8 olaf dair gwaith – yn 1986 oedd y tro diwethaf – ac wedi colli yn yr 16 olaf 7 gwaith yn olynol erbyn hyn – rhediad sy'n mynd yn ôl i 1994.

GOBAITH

Ar ôl colli yn yr 16 olaf yn y 7 Cwpan y Byd diwethaf, bydd hyd yn oed cyrraedd mor bell â hynny yn anodd eleni. Bydd y gêm gyntaf yn erbyn Gwlad Pwyl yn bwysig iawn i'r ddwy wlad.

Ymosodwr Wolves, ef yw canolbwynt yr ymosod gyda'i glwb a'i wlad. Sgoriodd y gôl i sicrhau lle Mecsico yng Nghwpan y Byd. Cafodd anaf difrifol i'w benglog ym mis Tachwedd 2021 ac yn sgil hynny mae angen iddo wisgo gorchudd i ddiogelu ei ben am weddill ei yrfa.

SAWDI ARABIA

Llysenw: *Green Falcons (Yr Hebogiaid Gwyrdd)*

Rheolwr: *Hervé Renard*

Roedd y Ffrancwr yng ngofal Moroco yng Nghwpan y Byd 2018. Mae hefyd wedi ennill Cwpan Cenhedloedd Affrica gyda Zambia ac Arfordir Ifori – yr hyfforddwr cyntaf i ennill y gystadleuaeth honno gyda dwy wlad wahanol.

HANES

6ed ymddangosiad yng Nghwpan y Byd. Cyrhaeddodd y wlad yr 16 olaf yn eu hymddangosiad cyntaf yn 1994, a dyna sy'n parhau i fod yn uchafbwynt. Er ei bod hi'n anodd eu gweld nhw'n creu llawer o argraff, a fydd chwarae yn y Dwyrain Canol yn ffactor?

GOBAITH

Dim llawer, yn ôl nifer, ond bydd chwarae mor agos i adref yn help. Enillodd y tîm yn erbyn Japan ac Awstralia wrth iddyn nhw orffen ar frig grŵp rhagbrofol Asia.

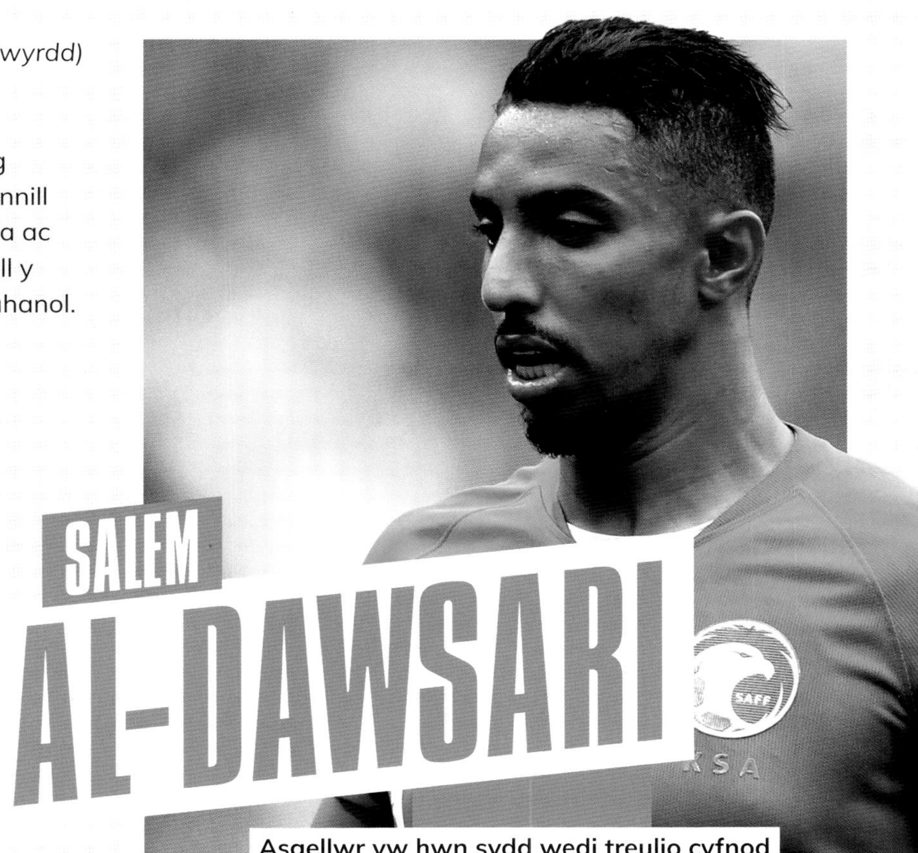

SALEM AL-DAWSARI

Asgellwr yw hwn sydd wedi treulio cyfnod byr yn Sbaen gyda Villarreal. Sgoriodd y gôl fuddugol yn erbyn Yr Aifft eu eu gêm olaf yng Nghwpan y Byd 2018 – buddugoliaeth gyntaf y wlad ar y llwyfan mawr ers 2002.

GRŴP D

FFRAINC

Llysenw: Les Bleus (Y Gleision)

Rheolwr: Didier Deschamps

Wedi bod yng ngofal y tîm ers degawd erbyn hyn, mae'r cyn-gapten wedi ymuno â grŵp bach iawn sydd wedi codi Cwpan y Byd fel chwaraewr a rheolwr. Deschamps oedd y capten yn 1998 cyn ailadrodd y gamp fel rheolwr yn 2018.

HANES

Un o'r gwledydd i chwarae yn y gystadleuaeth gyntaf yn 1930, dyma'r 16eg tro iddyn nhw gyrraedd y gystadleuaeth fawr a'r 7fed tro yn olynol.

Cododd y Ffrancwyr y cwpan am yr ail dro yn eu hanes yn 2018 – 20 mlynedd ar ôl y llwyddiant cyntaf yn 1998.

GOBAITH

Un o'r ffefrynnau – ond er bod Ffrainc wedi codi'r cwpan yn 2018 mae yna ychydig o bwysau ar Les Bleus eleni. Collodd y tîm yn yr 16 olaf yn Ewro 2020 yn erbyn Y Swistir ar giciau o'r smotyn ac mae angen gwell perfformiad yn Qatar.

PAUL POGBA

KYLIAN MBAPPÉ

Seren tîm Paris St Germain yw un o'r chwaraewyr mwyaf cyffrous yn y byd. Sgoriodd 4 gôl yng Nghwpan y Byd 2018, gan gynnwys un yn y rownd derfynol. Cafodd ei enwi yn chwaraewr ifanc gorau'r gystadleuaeth. Mbappé oedd y cyntaf yn ei arddegau i sgorio yn y ffeinal ers Pelé yn 1958. Bydd yn dathlu ei ben-blwydd 2 ddiwrnod ar ôl y rownd derfynol – pen-blwydd hapus efallai?

DENMARC

Llysenw: De Rød-Hvide (Y Coch a'r Gwyn)

Rheolwr: Kasper Hjulmand

Bu'n rhaid iddo ymddeol yn ifanc fel chwaraewr oherwydd anaf. Cafodd ei benodi'n rheolwr i'r tîm cenedlaethol ar gyfer Ewro 2020. Mae wedi profi ei hun yn boblogaidd dros ben wrth iddo ysbrydoli'r garfan a'r wlad yn dilyn ataliad Eriksen.

HANES

6ed ymddangosiad y wlad yng Nghwpan y Byd – cyrraedd yr 8 olaf yn 1998 yw'r gorau hyd yn hyn. Aeth Denmarc yr holl ffordd i rownd gynderfynol Ewro 2020, gan ennill yn erbyn Cymru yn yr 16 olaf. Roedd hi'n daith emosiynol dros ben ar ôl i'w capten Christian Eriksen ddioddef ataliad ar ei galon yn ystod gêm gyntaf y gystadleuaeth.

PIERRE-EMILE HOEJBJER

GOBAITH

Dyma'r ail dro yn olynol iddyn nhw fod yn yr un grŵp â Ffrainc yng Nghwpan y Byd. Gorffennodd hi'n gyfartal yn 2018 – yr unig gêm ddi-sgôr yn y gystadleuaeth! Enillodd Denmarc yn Ffrainc yng Nghyngrair y Cenhedloedd ym Mehefin, ac mae datblygiad y tîm dros y blynyddoedd diwethaf wedi bod yn ddramatig. Mae cyfle mawr i efelychu eu perfformiad gorau erioed eleni – sef yr 8 olaf – o leiaf.

CHRISTIAN ERIKSEN

Mae yna chwaraewyr pwysig dros ben yn y garfan, yn enwedig Højbjerg o Tottenham. Ond mae stori Eriksen yn fwy na phêl-droed. Mae'r ffaith ei fod wedi dychwelyd i chwarae yn dilyn yr ataliad ar y galon yn rhyfeddol. Bydd gweld y capten yn camu i'r cae yn Qatar yn eiliad anhygoel.

TIWNISIA

Llysenw: *Eryrod Carthage*

Rheolwr: *Jalel Kadri*

Cafodd ei benodi dros dro yn Ionawr 2022 gan fod yr hyfforddwr ar y pryd yn dioddef o Covid-19. Mae wedi arwain ei wlad i Qatar ers hynny, y pedwerydd hyfforddwr ers Cwpan y Byd 2018.

HANES

Tiwnisia yw'r wlad gyntaf o Affrica i ennill gêm yng Nghwpan y Byd, sef 3–1 yn erbyn Mecsico yn 1978. Dyma'r 6ed tro yn y rowndiau terfynol a'r 2il dro yn olynol. Dydyn nhw erioed wedi mynd yn bellach na'r grŵp agoriadol.

GOBAITH

Mae'r hyfforddwr yn mynnu bod gobaith mynd yn bellach na'r grŵp am y tro cyntaf erioed. Ond mae'n anodd gweld hynny'n digwydd – er iddyn nhw ennill yn erbyn Japan a Chile yng Nghwpan Kirin ym mis Mehefin.

ELLYES SKHIRI

Chwaraewr canol cae, llawn egni, sydd yn chwarae i dîm Cologne yn Yr Almaen. Mae'r ystadegau yn dangos iddo redeg mwy – a thaclo mwy – nag unrhyw chwaraewr arall yn y Bundesliga yn ystod tymor 2020/21!

AWSTRALIA

Llysenw: Socceroos

Rheolwr: *Graham Arnold*

Cyn-chwaraewr a rheolwr adnabyddus iawn yn Awstralia, dyma'r ail dro iddo arwain ei wlad. Bu wrth y llyw am flwyddyn ar ôl i Guus Hiddink adael yn dilyn Cwpan y Byd 2006.

HANES

5ed ymddangosiad yn olynol yn y rowndiau terfynol – hynny ar ôl aros 32 o flynyddoedd rhwng eu hymddangosiad cyntaf yn 1974 a'r nesaf yn 2006. Dim ond unwaith maen nhw wedi mynd yn bellach na'r grŵp agoriadol (2006).

GOBAITH

Dydyn nhw ddim wedi disgleirio yn y gemau rhagbrofol ac roedd angen chwarae gemau ail gyfle i gyrraedd Qatar. Enillon nhw ar giciau o'r smotyn yn erbyn Periw i sicrhau eu lle yng Nghwpan y Byd. Anodd eu gweld nhw'n mynd yn bellach na'r grŵp, o gofio presenoldeb Ffrainc a Denmarc.

Gôl-geidwad sy'n ddylawnad mawr ar y tîm, dyma fydd y 3ydd tro iddo chwarae ar y llwyfan mwyaf. Mae ganddo brofiad pwysig o chwarae yn Uwch-Gynghrair Lloegr hefyd gyda Brighton (ac Arsenal am gyfnod byr) ac mae bellach yn Nenmarc, gyda thîm Copenhagen.

SBAEN

Llysenw: La Roja (Yr Un Coch)

Rheolwr: Luis Enrique

Dyma un o chwaraewr gorau ei genhedlaeth – roedd yn seren i Real Madrid a Barcelona. Mae hefyd wedi rheoli Barca gan ennill y trebl a'r dwbl yn ei ddau dymor cyntaf!

PEDRI

Mae Pedri yn dal yn ei arddegau ond yn seren i Barcelona a Sbaen yn barod. Chwaraewr canol cae creadigol sy'n datblygu yn gyflym, bydd yn dathlu ei ben-blwydd yn 20 oed yn ystod y gystadleuaeth.

HANES

Ymddangosiad rhif 16 y wlad yn y gystadleuaeth fwyaf, a'r 12fed tro yn olynol – rhediad sy'n mynd yn ôl i 1978. Y Cochion oedd y cewri rhwng 2008 a 2012, gan ennill Pencampwriaeth Ewrop ddwywaith a chodi Cwpan y Byd yn 2010. Ond mae degawd wedi mynd heibio ers iddyn nhw ennill prif gystadleuaeth.

GOBAITH

Mae cyrraedd y 4 olaf yn Ewro 2020 wedi codi eu gobeithion ac mae'r criw ifanc o chwaraewyr cyffrous yn addo llawer. Mae angen amser i ddatblygu, ond mae'n werth cadw llygad barcud ar La Roja.

GRŴP E

YR ALMAEN

KAI HAVERTZ

Llysenw: *Die Mannschaft (Y Tîm)*

Rheolwr: Hansi Flick

Cyn-reolwr Bayern Munich sydd wedi olynu Joachim Löw. Roedd Löw yng ngofal y tîm am 15 mlynedd ond mae'r blynyddoedd diwethaf wedi bod yn siomedig. Mae'r garfan yn gyfuniad o'r profiadol a'r ifanc cyffrous. Yr her i Flick yw darganfod y cyfuniad cywir yn Qatar.

HANES

20fed ymddangosiad yng Nghwpan y Byd, a'r 18fed yn olynol. Maen nhw wedi codi'r cwpan bedair gwaith – 2014 oedd y llwyddiant diwethaf – ac yn Bencampwyr Ewrop dair gwaith hefyd. Roedd Cwpan y Byd 2018 yn siom enfawr ar ôl mynd allan yn y grŵp agoriadol am y tro cyntaf erioed.

GOBAITH

Ar ôl perfformiadau anhygoel yn y cystadlaethau mwyaf, maen nhw wedi bod yn siomedig yn ddiweddar. Ond mae tîm Flick wedi edrych yn beryglus yn y misoedd diwethaf – gan gynnwys taro 5 gôl yn erbyn Yr Eidal yng Nghyngrair y Cenhedloedd. Fel Sbaen, bydd angen eu gwylio'n ofalus!

LEROY SANÉ

İLKAY GÜNDOĞAN

Anodd dewis un seren gan fod y garfan mor gryf, ond mae'r ffaith bod y chwaraewr canol cae ymosodol mor amlwg i Manchester City yn dweud llawer. Cafodd ei benodi yn gapten gyda'i glwb hefyd. Bydd yn 32 oed erbyn cyrraedd Qatar, felly dyma'r cyfle olaf, o bosib, iddo ddisgleirio ar y llwyfan mwyaf.

JAPAN

Llysenw: *Y Samurai Glas*

Rheolwr: *Hajime Moriyasu*

Mae wedi bod yng ngofal Japan ers 2018 ac wedi cynrychioli ei wlad fel chwaraewr hefyd. Bu'n hyfforddi'r tîm Olympiadd yn y gorffennol.

HANES

Y 7fed ymddangosiad yng Nghwpan y Byd yw hwn, a 7 yn olynol hefyd, ac wedi cyrraedd pob cystadleuaeth ers y tro cyntaf yn 1998. Cyrhaeddon nhw'r 16 olaf dair gwaith – y perfformiad gorau gan un o wledydd Asia.

GOBAITH

Collodd Japan o 3 gôl i 2 yn erbyn Gwlad Belg yn yr 16 olaf yn 2018, gan ildio gôl yn yr eiliad olaf – a hynny ar ôl bod ar y blaen 2–0 gyda 20 munud yn weddill. A fydd yna gyfle gwell i gyrraedd yr 8 olaf? Bydd cyrraedd yr 16 olaf yn her, o gofio pwy arall sydd yn y grŵp.

TAKUMI MINAMINO

Chwaraewr ymosodol cyffrous, ond dyw e ddim wedi cael llawer o gyfle yn Lerpwl. Er hynny mae wastad yn cyfrannu goliau a pherfformiadau disglair. Mae ei drosglwyddiad i Monaco yn golygu y bydd yn cael llawer mwy o gemau cyn Qatar.

COSTA RICA

Llysenw: Los Ticos (Y Ticos)

Rheolwr: Luis Fernando Suárez

Cafodd ei benodi yn 2021 ar ôl dechrau siomedig i'r rowndiau rhagbrofol. Mae'n rheolwr profiadol – dyma'r 6ed wlad yn America Ladin iddo'i rheoli. Arweiniodd Ecwador i Gwpan y Byd yn 2006, a chyrraedd yr 16 olaf cyn colli yn erbyn Lloegr o 1 gôl i 0.

HANES

6ed ymddangosiad yng Nghwpan y Byd – a'r tro cyntaf iddyn nhw gyrraedd 3 yn olynol. Cyrraedd yr 8 olaf yn 2014 yw'r gorau hyd yn hyn.

GOBAITH

Enillodd y tîm eu lle yn Qatar ar ôl ennill gêm ail gyfle yn erbyn Seland Newydd, 1–0. Ac ar ôl methu ag ennill gêm yn Rwsia 2018 bydd buddugoliaeth yn hwb i'r wlad. Ond mae hynny'n mynd i fod yn anodd mewn grŵp cystadleuol.

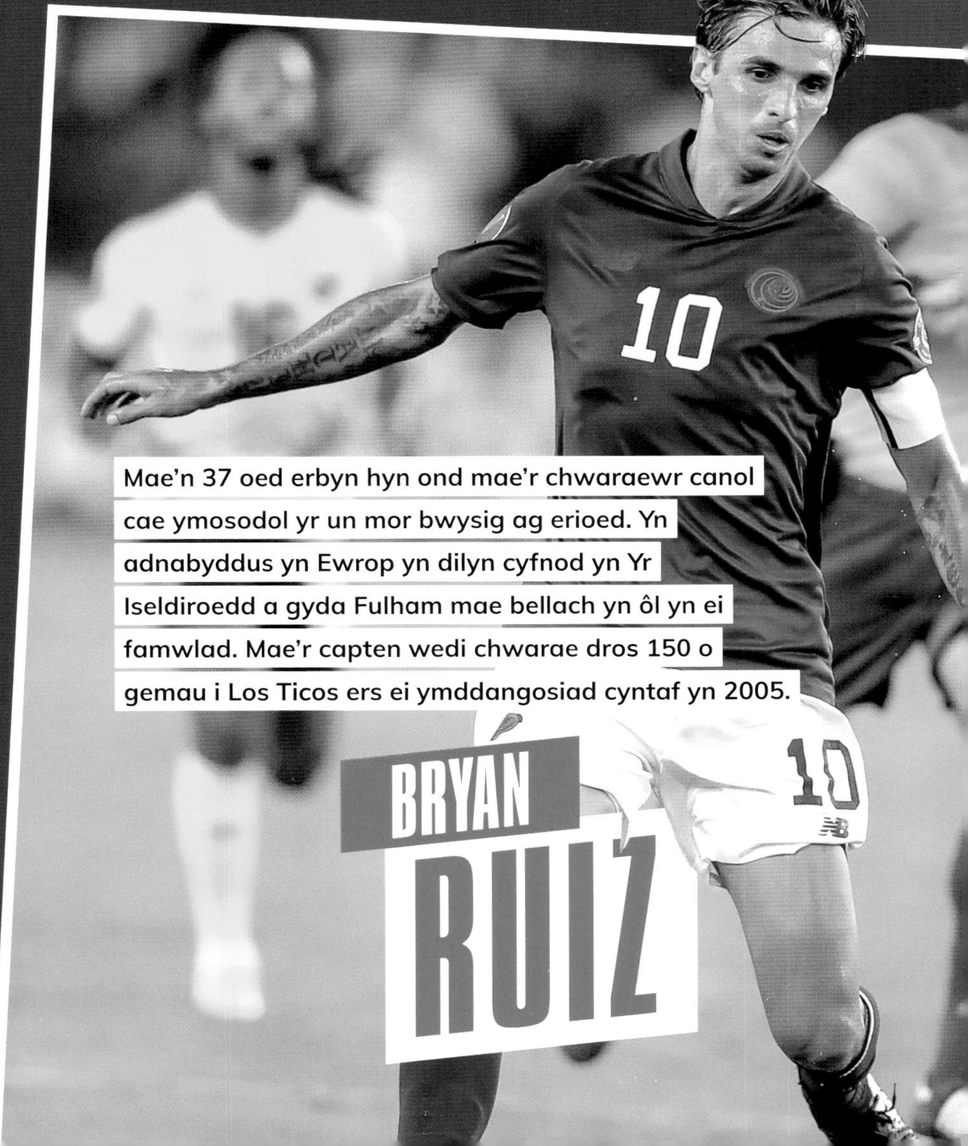

Mae'n 37 oed erbyn hyn ond mae'r chwaraewr canol cae ymosodol yr un mor bwysig ag erioed. Yn adnabyddus yn Ewrop yn dilyn cyfnod yn Yr Iseldiroedd a gyda Fulham mae bellach yn ôl yn ei famwlad. Mae'r capten wedi chwarae dros 150 o gemau i Los Ticos ers ei ymddangosiad cyntaf yn 2005.

BRYAN RUIZ

GRŴP F

GWLAD BELG

Llysenw: De Rode Duivels (Y Diawled Coch)

Rheolwr: Roberto Martínez

Cyn-reolwr Abertawe ac Everton, dyma fydd y trydydd tro iddo arwain y wlad i brif gystadleuaeth. Ai dyma'r cyfle olaf iddo sicrhau llwyddiant gyda'r 'Genhedlaeth Euraidd'? Cafodd Martínez ei benodi ar ôl i Wlad Belg golli'n annisgwyl yn erbyn Cymru yn rownd 8 olaf Ewro 2016.

HANES

Ymddangos am y 14eg tro yn y rowndiau terfynol – rhediad sy'n dechrau gyda'r tair cystadleuaeth gyntaf. Maen nhw wedi cyrraedd y 4 olaf ar ddau achlysur ac wedi colli yn erbyn y wlad a fyddai'n mynd ymlaen i godi'r cwpan – Ariannin yn 1986 a Ffrainc yn 2018.

ROMELU LUKAKU

Belg yw'r unig wlad sydd wedi bod yn un o brif ddetholion y byd ond sydd heb ennill un o'r prif gystadlaethau. Mae disgwyliadau mawr ar y tîm – fel arfer – ond, a fyddan nhw'n gallu gwireddu'r potensial amlwg? Cafwyd perffomiadau campus yn Rwsia 2018 – yn enwedig yn erbyn Brasil yn rownd yr 8 olaf – ond colli eto oedd eu hanes yn y 4 olaf.

CYRRAEDD YR 8 OL

2018
CYRRAEDD YR 4 OL

2022
Y ROWND DERFYNC

KEVIN DE BRUYNE

Un o'r chwaraewyr gorau yn y byd – yn enwedig dros y tymhorau diwethaf. Mae ganddo'r gallu i reoli a ne gêm mewn eiliad. Doedd e ddim ar ei orau yn ystod Ewro 2020 oherwydd anafiadau ond bydd Belg yn gobeithio ei bod hi'n stori wahanol y gaeaf yma.

CROATIA

Llysenw: *Vatreni (Y Cotiau)*

Rheolwr: *Zlatko Dalić*

Cafodd ei benodi cyn y gêm ragbrofol olaf yn 2017 ac enillodd y tîm y gêm honno a'r gemau ail gyfle cyn mynd yr holl ffordd i'r rownd derfynol yn Rwsia. Maen nhw wedi datblgyu system sy'n cael y gorau allan o'r chwaraewyr pwysig.

HANES

6ed ymddangosiad yn y gystadleuaeth fawr, a dyma'r 3ydd tro yn olynol. Cyrraedd y rownd gynderfynol yn eu hymddangosiad cyntaf fel gwlad annibynnol yn 1998 oedd yr uchafbwynt. Ond yn 2018 aeth y tîm yr holl ffordd i'r rownd derfynol yn dilyn buddugoliaethau yn erbyn Ariannin, Rwsia, Denmarc a Lloegr – cyn colli yn erbyn Ffrainc yn y gêm fawr.

GOBAITH

Tîm profiadol a chlyfar iawn, does bosib bod Croatia yn gallu ail-greu campau 2018? Mae'n anodd iawn chwarae yn eu herbyn, ac maen nhw'n gwybod yn union sut i ennill gemau pwysig. Os yw Modrić yn tanio gall unrhyw beth ddigwydd.

Luka Modrić yw'r chwaraewr ifancaf erioed i sgorio i Croatia... a'r un hynaf! Sgoriodd ei gôl gyntaf dros ei wlad yn 2008 pan oedd yn 22 oed ac roedd ei gôl yn erbyn Yr Alban yn 2021 – pan oedd yn 35 oed (a 286 diwrnod) – yn golygu mai fe oedd yr hynaf hefyd!

LUKA MODRIĆ

Yn 37 oed erbyn hyn ond mae'n parhau i fod yn ddylanwadol dros ben i'w wlad a'i glwb, Real Madrid. Derbyniodd wobr 'Y Bêl Aur' ar ôl Rwsia 2018 – y wobr i'r chwaraewr gorau yn y gystadleuaeth. Disgleiriodd hefyd yn ystod rhediad llwyddiannus Real yng Nghyngrair y Pencampwyr y flwyddyn yma – gan godi'r cwpan fel chwaraewr am y pumed tro.

CANADA

Llysenw: Maple Leafs

Rheolwr: John Herdman

Cafodd y gŵr o Loegr ei benodi yn 2018 ar ôl treulio 7 mlynedd yn hyfforddi tîm merched Canada. Bu'n hyfforddi merched Seland Newydd cyn hynny.

HANES

Yr 2il ymddangosiad yn unig yn y gystadleuaeth – a'r tro cyntaf ers 1986. Colli pob gêm a methu sgorio oedd y record anffodus yn '86 ond mae disgwyl gwell yn awr, diolch i genhedlaeth newydd o chwaraewyr.

GOBAITH

Mae ganddyn nhw'r potensial i achosi sioc – ond mae'r grŵp yn anodd. Mae'r tîm wedi gwella yn aruthrol dros y blynyddoedd diwethaf gan godi yn gyflym yn rhestr detholion FIFA, ac yn llawn hyder ar ôl ennill y rhan fwyaf o'u gemau yn eu rhanbarth rhagbrofol – gan gynnwys buddugoliaeth yn erbyn America a Mecsico.

ALPHONSO DAVIES

Amddiffynnwr Bayern Munich yw un o chwaraewyr ifanc mwyaf cyffrous yn y byd. Cafodd ei eni mewn gwersyll i ffoaduriaid yn Ghana ar ôl i'w rieni ffoi rhag rhyfel cartref yn Liberia. Daeth yn ddinesydd Canada ar ôl i'r teulu ymgartrefu yno.

GRŴP F

MOROCO

Llysenw: *Llewod yr Atlas*

Rheolwr: *Walid Regragui*

Cafodd y cyn-amddiffynnwr rhyngwladol ei benodi ganol Awst – ar ôl cael llwyddiant yn rheoli clybiau ym Moroco a Qatar.

Collodd Vahid Halilhodžić, y cyn-reolwr, ei swydd dri mis yn unig cyn y gystadleuaeth – y trydydd tro i'r gŵr o Fosnia golli ei swydd o fewn misoedd i ddechrau cystadleuaeth fawr! Digwyddodd hynny iddo gyda'r Arfordir Ifori yn 2010 a Japan yn 2018.

HANES

Y 6ed ymddangosiad yn y rowndiau terfynol yw hwn, a'r 2il yn olynol. Dim ond unwaith maen nhw wedi mynd yn bellach na'r grŵp agoriadol – yn 1986.

GOBAITH

Roedd methu ennill gêm yn 2018 yn siomedig ond roedd colli 1–0 yn erbyn Portiwgal ac ildio'n hwyr i gael gêm gyfartal 2–2 yn erbyn Sbaen yn dangos potensial. Yn debyg i Canada mae'r gallu i achosi problemau i'r enwau mawr yn y grŵp.

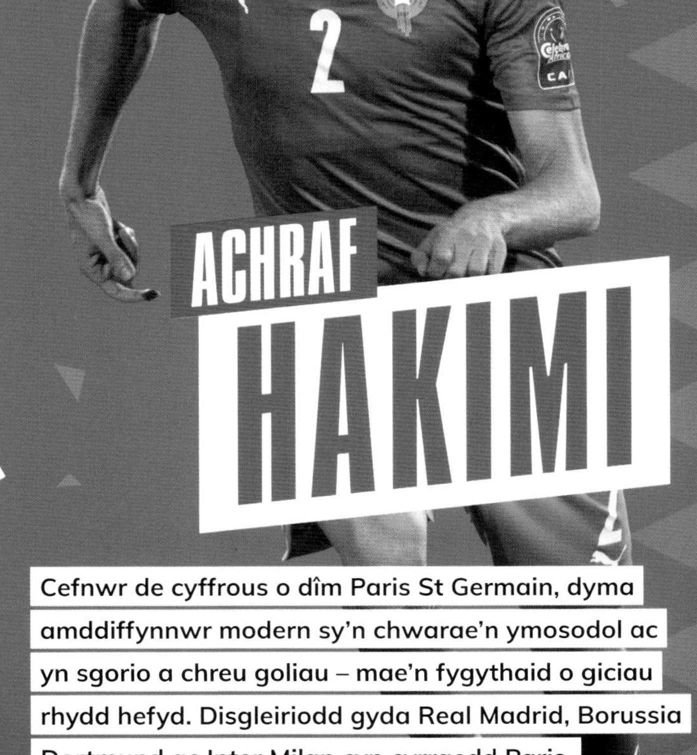

ACHRAF HAKIMI

Cefnwr de cyffrous o dîm Paris St Germain, dyma amddiffynnwr modern sy'n chwarae'n ymosodol ac yn sgorio a chreu goliau – mae'n fygythaid o giciau rhydd hefyd. Disgleiriodd gyda Real Madrid, Borussia Dortmund ac Inter Milan cyn cyrraedd Paris.

GRŴP G

BRASIL

Mae'r garfan yn llawn sêr, ond Neymar yw'r fwyaf. Y mwyaf talentog – a'r mwyaf rhwystredig. Dyw e ddim wedi cael y tymhorau gorau gyda'i glwb, Paris St Germain, yn ddiweddar ond a fydd hi'n stori wahanol gyda'i wlad? Bydd datblygiad y garfan yn help mawr iddo ac yn golygu bod llai o bwysau (a sylw) arno.

NEYMAR

COUTINHO

Llysenw: A Seleção (Y Garfan)

Rheolwr: Tite

Cafodd ei benodi yn 2016 ac mae wedi awgrymu y bydd yn gadael ar ddiwedd y gystadleuaeth. Gadael mewn steil? Pwy a ŵyr gyda Brasil! Wedi treulio'r rhan fwyaf o'i yrfa hyfforddi yn Brasil bydd nifer o glybiau mawr Ewrop yn gwylio'i sefyllfa yn ofalus.

HANES

Dyma'r wlad fwyaf llwyddiannus yn hanes y gystadleuaeth, gan godi'r cwpan 5 gwaith. Maen nhw hefyd wedi chwarae ym mhob un cystadleuaeth ers 1930 – yr unig wlad i wneud hynny. Mae ennill Cwpan y Byd yn obsesiwn i Frasil, ond dyw hynny ddim wedi digwydd ers 20 mlynedd.

Roedd tair o'r gwledydd yma hefyd yn yr un grŵp yng Nghwpan y Byd 2018 – Brasil, Serbia a'r Swistir!

GOBAITH

Roedd y perfformiadau yn addawol iawn cyn ac yn ystod Cwpan y Byd 2018. Roedden nhw'n anlwcus i gwrdd â thîm Gwlad Belg ar ei orau yn yr 8 olaf. Ar rediad da cyn cyrraedd Qatar hefyd, mae'r opsiynau ymosodol yn rhyfeddol – ond mae yna asgwrn cefn cadarn yn datblygu. Un o'r ffefrynnau heb os.

GRŴP G

Y SWISTIR

***Llysenw**: La Nati (Y Tîm Cenedlaethol)*

***Rheolwr**: Murat Yakin*

Cyn-amddiffynnwr rhyngwladol gafodd ei benodi ar ôl i Vladimir Petković ymddiswyddo yn dilyn Ewro 2020. Mae ei frawd, Hakan, wedi chwarae i'r Swistir. Ar un adeg roedd y ddau gyda'i gilydd yn Luzern – Marat yn rheoli a Hakan yn chwarae.

HANES

12fed ymddangosiad yn y rowndiau terfynol. Dyma'r tro cyntaf yn eu hanes i'r wlad gyrraedd 5 Cwpan y Byd yn olynol – rhediad sy'n mynd yn ôl i 2006. 1 ymddangosiad mewn 9 Cwpan y Byd oedd cyn hynny ac wedi cyrraedd yr 8 olaf dair gwaith ym mlynyddoedd cynnar y gystadleuaeth.

Cyrhaeddon nhw yr 8 olaf yn Ewro 2020 – gan ennill yn erbyn Ffrainc yn yr 16 olaf.

GOBAITH

Mae'r ffaith bod Y Swistir wedi ennill y grŵp rhagbrofol – gan orffen uwchben Yr Eidal – yn dangos eu cryfder. Ar ôl gem gyfartal yn erbyn Brasil ac ennill yn erbyn Serbia yng Nghwpan y Byd 2018 maen nhw'n bendant yn llygadu'r 16 olaf yn Qatar.

EMBOLO

XHERDAN SHAQIRI

Mae cyn-ymosodwr Lerpwl yn 31 oed erbyn hyn ac yn chwarae yn America i Chicago Fire ond yn parhau i fod yn ddylanwad enfawr ar y tîm. Sgoriodd yng Nghwpan y Byd 2014 a 2018 – roedd hefyd yn amlwg iawn yn Ewro 2020 gan sgorio 3 gôl wrth chwarae pob gêm i'w wlad.

GRŴP G

SERBIA

Llysenw: Orlovi (Yr Eryrod)

Rheolwr: *Dragan Stojković*

Cyn-gapten Iwgoslafia, chwaraeodd yng Nghwpan y Byd 1990 a 1998, ac mae'n cael ei ystyried fel un o'r goreuon erioed yn Serbia. Wedi hyfforddi clybiau yn Japan a Tsieina cyn cael ei benodi yn rheolwr yn 2021.

GOBAITH

Collwyd y gemau yn erbyn Brasil a'r Swistir yn 2018 ond mae teimlad gwahanol o gwmpas y garfan ar hyn o bryd. Maen nhw'n bendant yn llygadu lle yn yr 16 olaf – er bod y grŵp yn hynod gystadleuol.

DUŠAN VLAHOVIĆ

Ymosodwr ifanc sydd yn datblygu'n gyflym, mae'n chwaraewr mawr a chryf sydd wedi parhau i sgorio'n gyson ers symud o Fiorentina i Juventus yn Ionawr 2022. Mae'n seren i Serbia ac o bosib yn un o'r sêr yn Qatar y gaeaf yma.

HANES

Y 13eg tro iddyn nhw gyrraedd y brif gystadleuaeth, ac mae hynny'n cynnwys y cyfnodau pan oedd y wlad yn rhan o Iwgoslafia, a Serbia a Montenegro. Cafwyd record gampus ar y ffordd i Qatar – ennill y grŵp rhagbrofol heb golli gêm, gan orffen uwchben Portiwgal.

GRŴP G

CAMERŴN

Llysenw: *Les Lions Indomptables (Y Llewod Anorchfygol)*

Rheolwr: *Rigobert Song*

Roedd yn arwr fel chwaraewr ar ôl cynrychioli ei wlad am 17 o flynyddoedd, cafodd ei benodi yn rheolwr ym mis Mawrth 2022 cyn y gêm ail gyfle yn erbyn Algeria. Chwaraeodd yng Nghwpan y Byd bedair gwaith ac ennill Cwpan Cenhedloedd Affrica ddwywaith. Mae hefyd wedi ei anfon o'r cae ddwywaith yng Nghwpan y Byd – 1994 ac 1998!

HANES

8fed ymddangosiad – wedi cyrraedd y gystadleuaeth fawr yn gyson ers eu tro cyntaf yn 1982. Yr Eidal yn 1990 oedd yr uchafbwynt, yn dilyn rhediad rhyfeddol i'r 8 olaf – yr unig dro iddyn nhw fynd yn bellach na'r grŵp agoriadol.

GOBAITH

Mae'r ffaith nad yw Camerŵn wedi mynd yn bellach na'r grŵp agoriadol ers 1990 yn dweud llawer – dim ond un gêm maen nhw wedi ennill yn yr holl ymddangosiadau eraill yn y gystadleuaeth, a hynny yn erbyn Sawdi Arabia yn 2002. Mae'n anodd gweld hynny yn newid yn y grŵp cystadleuol yma.

KARL TOKO EKAMBI

Wedi disgleirio i nifer o glybiau yn Ffrainc cyn symud i Villarreal yn Sbaen mae bellach yn ôl yn Ffrainc gyda thîm Lyon. Mae'n ymosodwr sy'n sgorio ac yn creu goliau.

PORTIWGAL

Er ei fod yn 37 oed mae hi'n amhosib anwybyddu'r capten – y gŵr sydd wedi sgorio'r nifer fwyaf o goliau a chwarae'r nifer fwyaf o gemau yn hanes ei wlad. Ond, mae yna deimlad bod dylanwad Ronaldo yn ormod ar adegau. Mae'r garfan yn llawn chwaraewyr talentog sy'n chwarae ym mhrif gynghreiriau Ewrop. A fydd y sêr ifanc yn cael y cyfle i gamu allan o gysgod Ronaldo?

CRISTIANO RONALDO

DIOGO JOTA

Llysenw: *A Seleção das Quinas (Tîm y Tarianau)*

Rheolwr: *Fernando Santos*

Cafodd ei benodi yn 2014 ac mae wedi arwain y tîm i'r brig yn Ewro 2016 a Chynghrair y Cenhedloedd yn 2019. Bu'n rheoli Groeg yn ystod Ewro 2012 a Chwpan y Byd 2014.

HANES

8fed ymddangosiad ar y llwyfan mawr – a'r 6ed yn olynol – felly mae eu presenoldeb yn gyson dros yr 20 mlynedd diwethaf. Maen nhw wedi cyrraedd Pencampwriaeth Ewrop 7 gwaith yn olynol hefyd, gan ennill y gystadleuaeth yn 2016.

GOBAITH

Maen nhw wedi cael llwyddiant dros y blynyddoedd diwethaf ond gorffen yn ail yn y grŵp rhagbrofol eleni, y tu ôl i Serbia. Roedd ennill yn erbyn Twrci a Gogledd Macedonia yn y gemau ail gyfle yn dangos y gallu i godi eu gêm dan bwysau. Roedd mynd allan yn rownd yr 16 olaf yng Nghwpan y Byd 2018 ac Ewro 2020 yn batrwm pryderus.

WRWGWÁI

Llysenw: *La Celeste (Y Glas Golau)*

Rheolwr: *Diego Alonso*

Cyn-reolwr Inter Miami – clwb David Beckham yn America – cafodd ei benodi yn 2021 yn dilyn diswyddiad Óscar Tabárez oedd wedi bod yng ngofal y tîm am 15 mlynedd. Roedd cyrraedd Qatar yn edrych yn annhebygol cyn i Alonso drawsnewid y canlyniadau yn y gemau rhagbrofol.

HANES

14eg ymddangosiad yng Nghwpan y Byd – y 4ydd yn olynol – sy'n gyfartal â'u rhediad gorau. Wrwgwái oedd cartref y Cwpan Byd cyntaf yn 1930 – a nhw enillodd hefyd, gan ailadrodd y gamp yn 1950. Cyrhaeddodd tîm y wlad y rownd gynderfynol yn 2010 a'r 8 olaf yn 2018.

GOBAITH

Er bod Suárez a'i gyd-ymosodwr, Edinson Cavani, yn 35 oed, mae'r ddau yn parhau'n beryglus ar y llwyfan mawr. Gydag ymosodwr newydd Lerpwl, Darwin Núñez, yn dechrau creu argraff mae'r gallu yno i gyrraedd yr 16 olaf – o leiaf.

CAVANI

LUIS SUÁREZ

Er bod yr ymosodwr yn 35 bellach mae'n parhau i fod yn ddylanwad mawr ar y tîm. Ar ôl disgleirio yn Ewrop i Ajax, Lerpwl, Barcelona ac Atlético Madrid mae Suárez yn ôl yn Wrwgwái gyda'r clwb lle dechreuodd y cyfan – Nacional. Profiadol, cystadleuol a dadleuol! Bydd yr ornest yn erbyn Ghana yn ddiddorol – ar ôl y gêm ddadleuol yn yr 8 olaf yn 2010!

GRŴP H

GHANA

Llysenw: *Y Sêr Du*

Rheolwr: *Otto Addo*

Cyn-chwaraewr Borussia Dortmund a nifer o glybiau yn Yr Almaen roedd yn aelod pwysig o'r garfan yng Nghwpan y Byd 2006. Cafodd ei benodi cyn y gêm ail gyfle yn erbyn Nigeria i gyrraedd Qatar. Bydd yn gweithio gyda thîm o hyfforddwyr sy'n cynnwys Chris Hughton a George Boeteng.

HANES

4ydd tro i'r wlad gyrraedd Cwpan y Byd – 2006 oedd yr ymddangosiad cyntaf – a chyrraedd yr 8 olaf yn 2010 yw'r uchafbwynt i dîm y wlad.

Collodd Ghana yn erbyn Wrwgwái yn yr 8 olaf yn 2010 mewn modd dadleuol. Bu bron iddyn nhw sgorio ym munud olaf amser ychwanegol cyn i Luis Suárez lawio'r bêl yn fwriadol. Cafodd Suárez gerdyn coch ond method Ghana y gic o'r smotyn cyn hefyd colli ar giciau o'r smotyn.

GOBAITH

Buon nhw'n ffodus i gyrraedd Qatar yn dilyn gemau ail gyfle yn erbyn Nigeria – ac roedd eu perfformiad yn siomedig yng Nghwpan Cenhedloedd Affrica. Bydd angen gwella'n gyflym er mwyn cael unrhyw obaith o gyrraedd yr 16 olaf.

THOMAS PARTEY

Mae nifer o'r garfan yn creu argraff yn Ewrop ond Partey yw'r allwedd yng nghanol cae. Mae'n chwaraewr cadarn sy'n gymorth mawr i'r amddiffyn a'r ymosod.

DE COREA

***Llysenw**: Rhyfelwyr Taeguk*

***Rheolwr**: Paulo Bento*

Cafodd ei benodi yn 2018. Mae'r gŵr o Bortiwgal wedi chwarae (2002) i'w wlad a'i rheoli (2014) yng Nghwpan y Byd.

HANES

Mae'r wlad wedi cyrraedd pob Cwpan y Byd ers 1986 – 10 yn olynol, ac 11 i gyd (un yn 1954). Cyrraedd y rownd gynderfynol yn 2002 yw'r perfformiad gorau pan gafodd y gystadleuaeth ei chynnal yn Ne Corea a Japan. 2010 yw'r unig achlysur arall iddyn nhw fynd yn bellach na'r grŵp agoriadol.

GOBAITH

Er bod y mwyafrif o'r chwaraewyr gyda chlybiau yn Asia mae ambell seren gyda chlybiau yn Ewrop erbyn hyn. Ond bydd cyrraedd yr 16 olaf yn dipyn o gamp.

Mae wedi datblygu'n chwaraewr hollbwysig i Tottenham wrth ochr Harry Kane. Mae'n sgoriwr goliau sydd hefyd yn creu llawer i eraill. Roedd y capten ar ei orau wrth i Dde Corea ennill yn erbyn Yr Almaen yng Nghwpan y Byd 2018 – a bydd yn cario gobeithion y wlad unwaith eto yn Qatar.

BT

CYMRU

HEFYD O'R LOLFA:

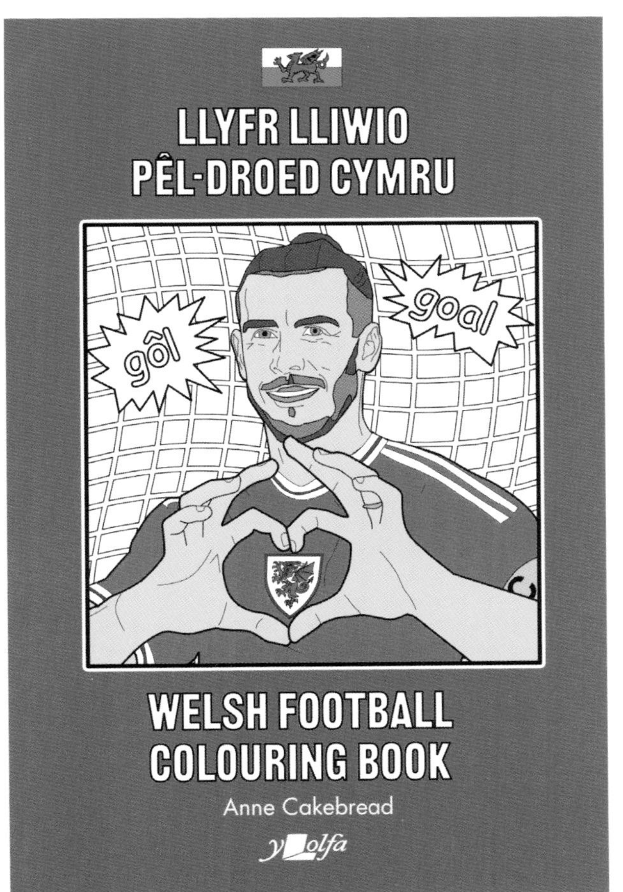
LLYFR LLIWIO
PÊL-DROED CYMRU
gôl
goal
WELSH FOOTBALL
COLOURING BOOK
Anne Cakebread
y lolfa

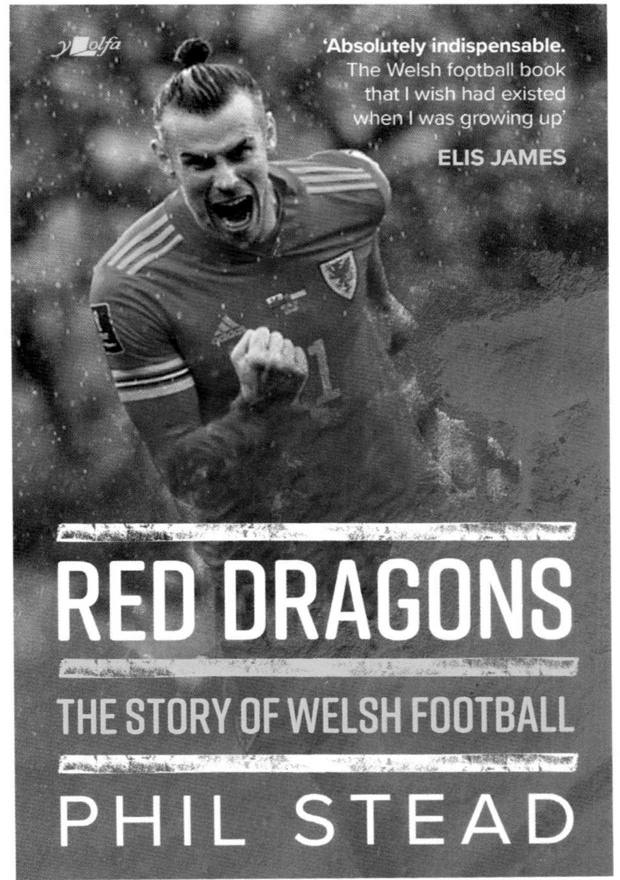
y lolfa
'Absolutely indispensable.
The Welsh football book
that I wish had existed
when I was growing up'
ELIS JAMES
RED DRAGONS
THE STORY OF WELSH FOOTBALL
PHIL STEAD

Y WAL GOCH
AR BEN Y BYD
FFION ELUNED OWEN (GOL.)
y lolfa

y lolfa